Gujarati Alphabets / ગુજરાતી બારાખડી

અ Page 2	આ Page 3	ઇ Page 4	ઈ Page		7	
ઋ Page 9	એ Page 10	ઐ Page 11	ઓ Page 12	ઔ Page 13	અં Page 14	અઃ Page 15

ક Page 16	ખ Page 17	ગ Page 18	ઘ Page 19	ઙ Page 20	
ચ Page 21	છ Page 22	જ Page 23	ઝ Page 24	ઞ Page 25	
ટ Page 26	ઠ Page 27	ડ Page 28	ઢ Page 29	ણ Page 30	
ત Page 31	થ Page 32	દ Page 33	ધ Page 34	ન Page 35	
પ Page 36	ફ Page 37	બ Page 38	ભ Page 39	મ Page 40	
ય Page 41	ર Page 42	લ Page 43	વ Page 44	શ Page 45	
ષ Page 46	સ Page 47	હ Page 48	ળ Page 49	ક્ષ Page 50	જ્ઞ Page 51

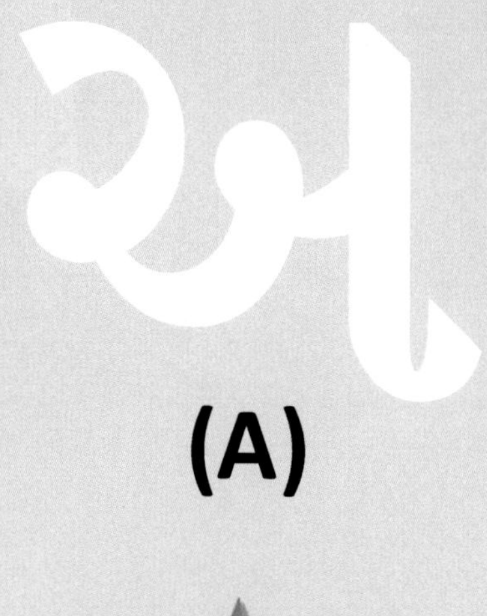

(A)

અનાનસ / Anaanasa / Pineapple

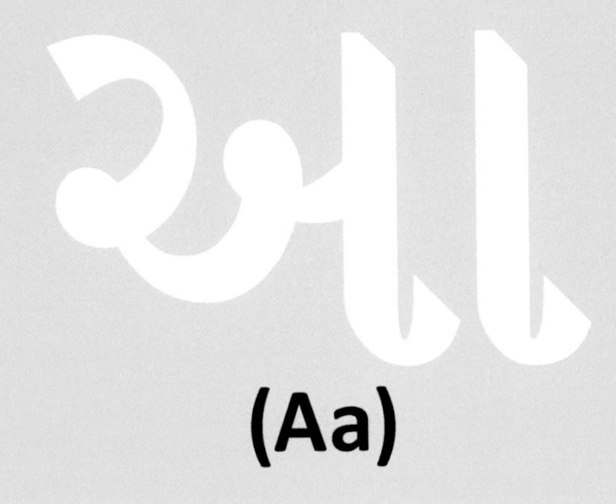

(Aa)

આગ / Aaga / Fire

(I)

ඉඳුන් / Indun / Egg

(Ee)

ఇటుక / Eenta / Brick

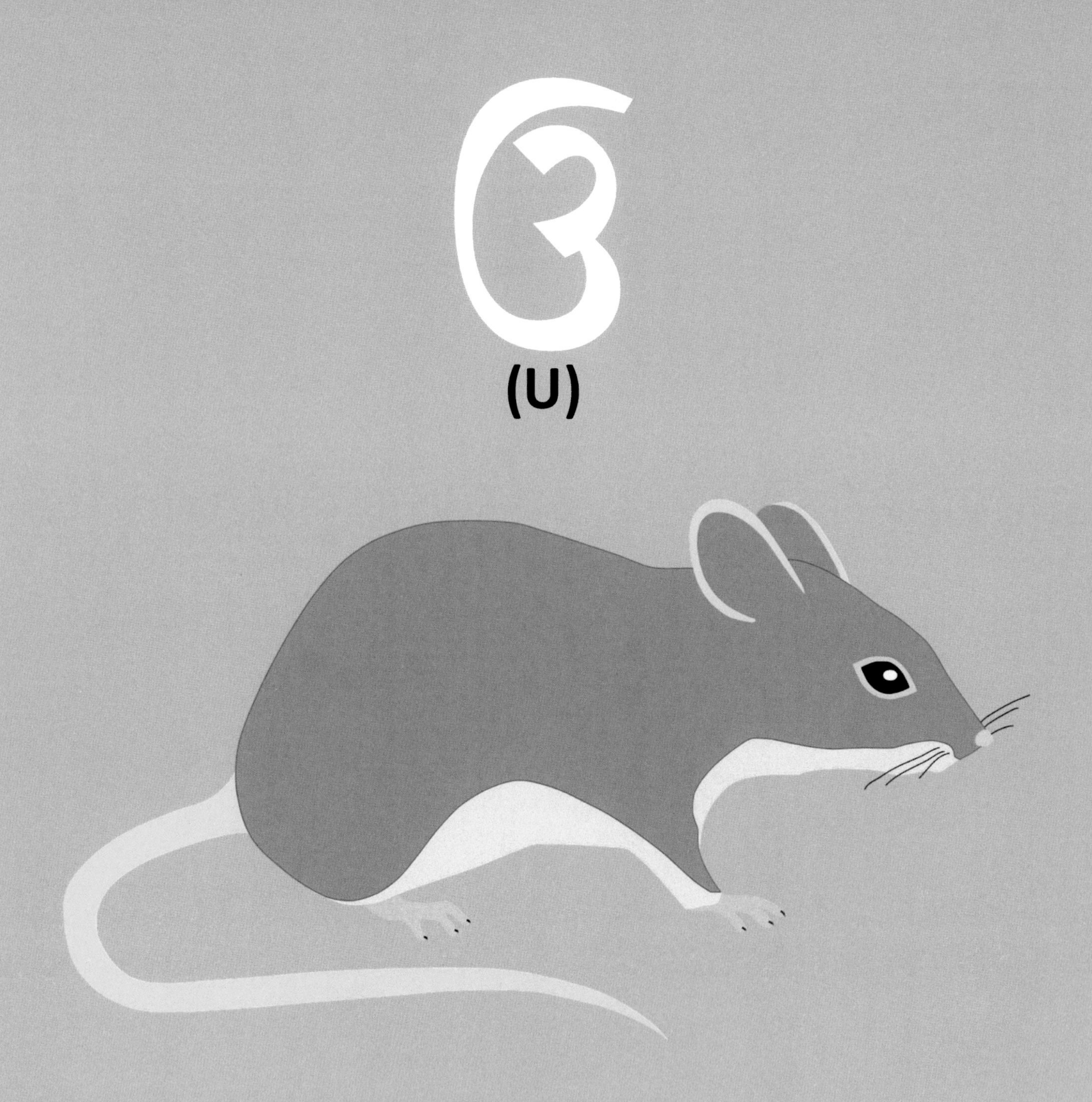

ਉਂਦਰ / Undara / Mouse

ઊ

(Oo)

ઊન / Oona / Wool

(Ri)

ଋଷି / Rishi / Saint

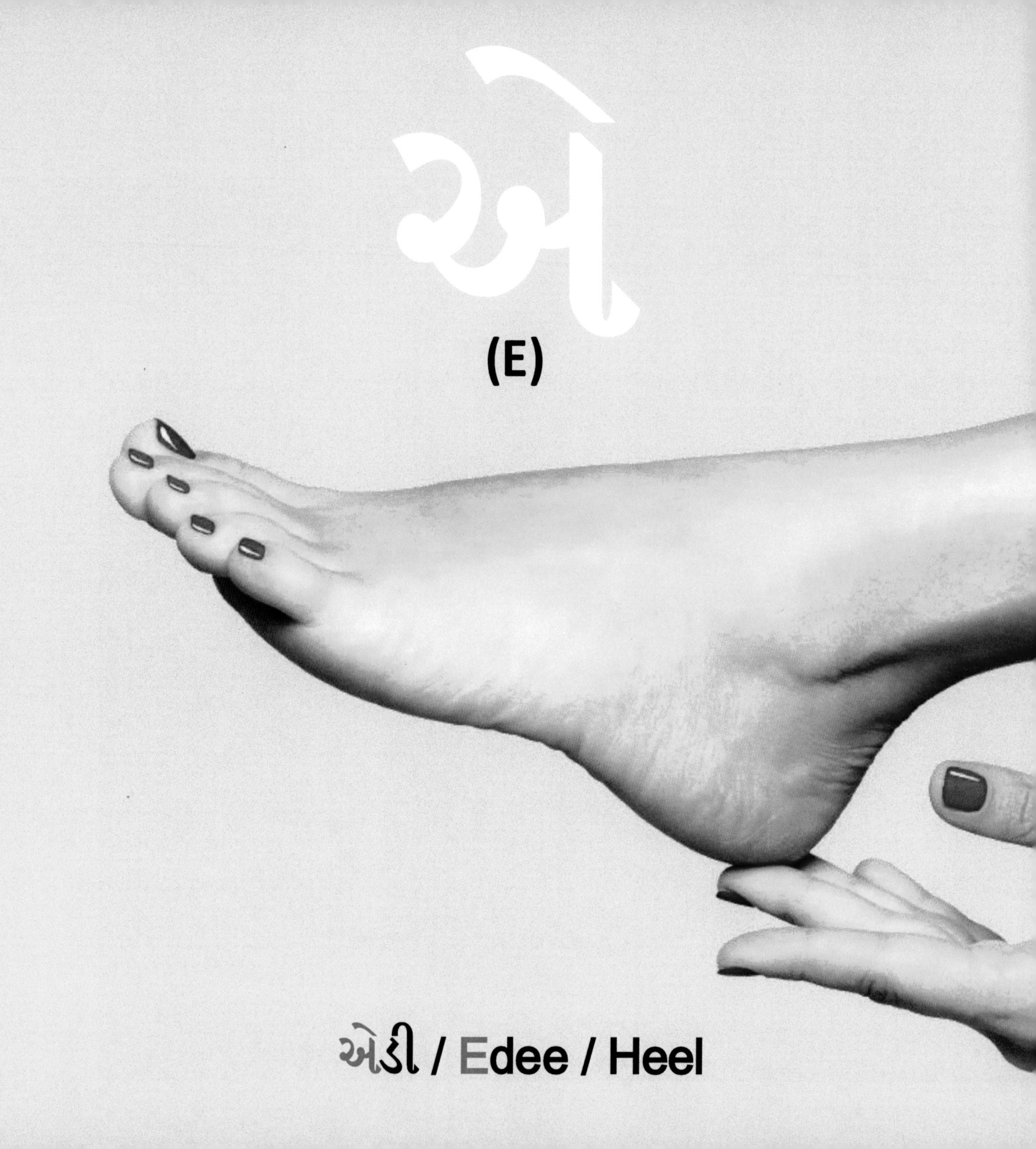
એ
(E)
એડી / Edee / Heel

ઐનક / Ainaka / Eyeglass

(O)

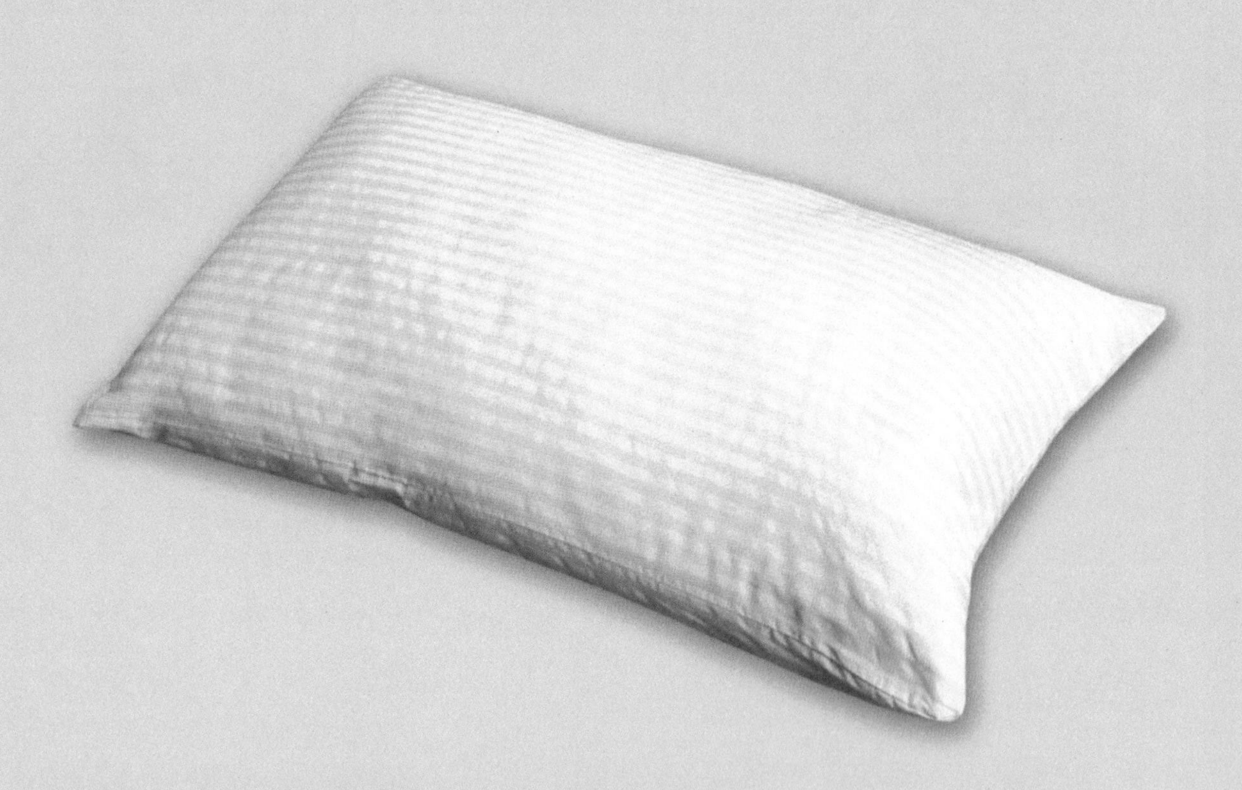

ઓશીકું / Osheekun / Pillow

ઔ

(Au)

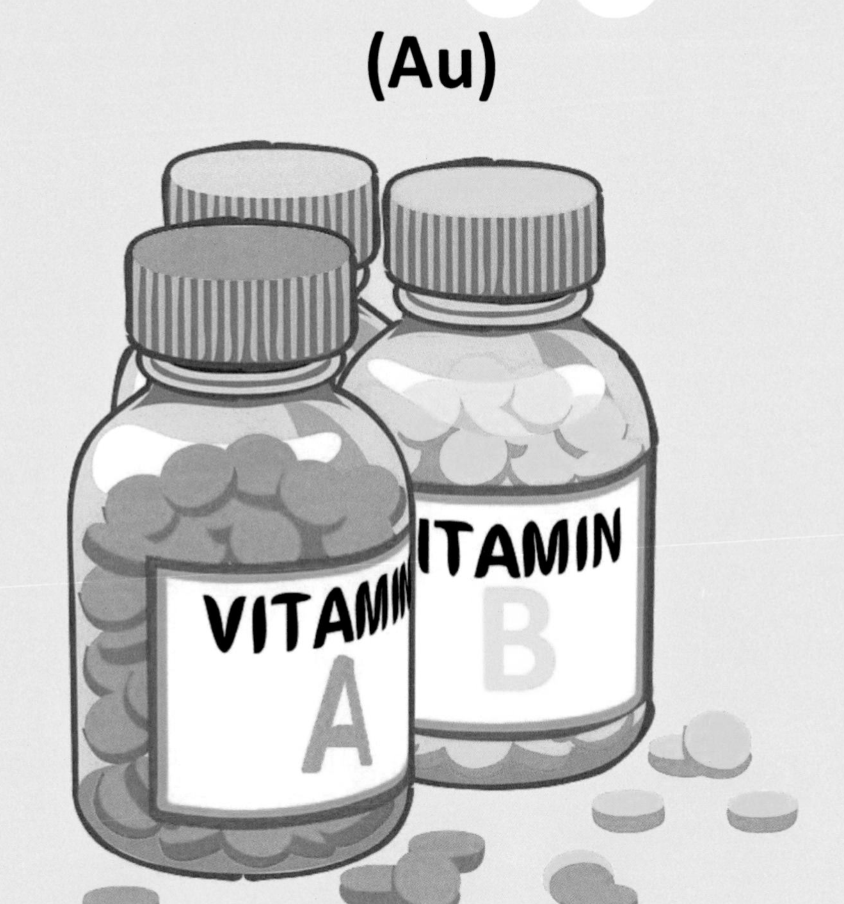

ઔષધ / Aushadha / Medicine

અં

(An)

અંજીર / Angira / Fig

અઃ

(Ah)

નમઃ / Namah / Praying

ક

(Ka)

કબૂતર / Kabootara / Pigeon

ક્+અ	ક્+આ	ક્+ઇ	ક્+ઈ	ક્+ઉ	ક્+ઊ	ક્+ઋ	ક્+એ	ક્+ઐ	ક્+ઓ	ક્+ઔ	ક્+અં	ક્+અઃ
ક	કા	કિ	કી	કુ	કૂ	કૃ	કે	કૈ	કો	કૌ	કં	કઃ
Ka	Kaa	Ki	Kee	Ku	Koo	Kri	Ke	Kai	Ko	Kau	Kan	Kah

ખ

(Kha)

ખજાનો / Khajaanaa / Treasure

ખ્+અ	ખ્+આ	ખ્+ઇ	ખ્+ઈ	ખ્+ઉ	ખ્+ઊ	ખ્+ઋ	ખ્+એ	ખ્+ઐ	ખ્+ઓ	ખ્+ઔ	ખ્+અં	ખ્+અઃ
ખ	ખા	ખિ	ખી	ખુ	ખૂ	ખૃ	ખે	ખૈ	ખો	ખૌ	ખં	ખઃ
Kha	Khaa	Khi	Khee	Khu	Khoo	Khri	Khe	Khai	Kho	Khau	Khan	Khah

ગ

(Ga)

ગધેડો / Gadhedo / Donkey

ગ્+અ	ગ્+આ	ગ્+ઇ	ગ્+ઈ	ગ્+ઉ	ગ્+ઊ	ગ્+ઋ	ગ્+એ	ગ્+ઐ	ગ્+ઓ	ગ્+ઔ	ગ્+અં	ગ્+અઃ
ગ	ગા	ગિ	ગી	ગુ	ગૂ	ગૃ	ગે	ગૈ	ગો	ગૌ	ગં	ગઃ
Ga	Gaa	Gi	Gee	Gu	Goo	Gri	Ge	Gai	Go	Gau	Gan	Gah

ઘ

(Gha)

ઘડિયાળ / Ghadiyaala / Watch

ઘ્+અ	ઘ્+આ	ઘ્+ઇ	ઘ્+ઈ	ઘ્+ઉ	ઘ્+ઊ	ઘ્+ઋ	ઘ્+એ	ઘ્+ઐ	ઘ્+ઓ	ઘ્+ઔ	ઘ્+અં	ઘ્+અઃ
ઘ	ઘા	ઘિ	ઘી	ઘુ	ઘૂ	ઘૃ	ઘે	ઘૈ	ઘો	ઘૌ	ઘં	ઘઃ
Gha	Ghaa	Ghi	Ghee	Ghu	Ghoo	Ghri	Ghe	Ghai	Gho	Ghau	Ghan	Ghah

ઙ

(Ṅa)

પતંગ / Patanga / Kite

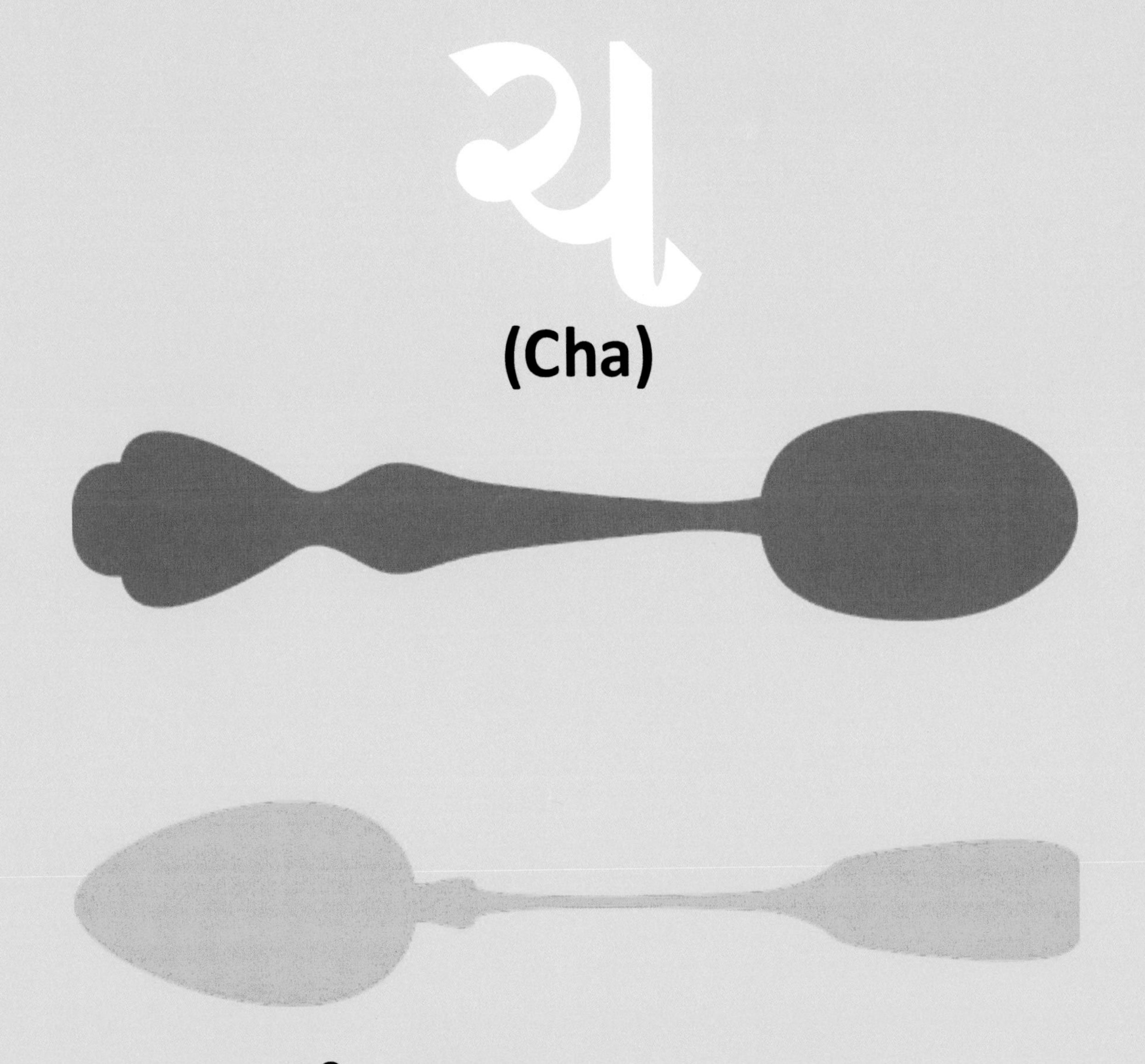

ચમચી / Chamachee / Spoon

ચ્+અ	ચ્+આ	ચ્+ઇ	ચ્+ઈ	ચ્+ઉ	ચ્+ઊ	ચ્+ઋ	ચ્+એ	ચ્+ઐ	ચ્+ઓ	ચ્+ઔ	ચ્+અં	ચ્+અઃ
ચ	ચા	ચિ	ચી	ચુ	ચૂ	ચૃ	ચે	ચૈ	ચો	ચૌ	ચં	ચઃ
Cha	Chaa	Chi	Chee	Chu	Choo	Chri	Che	Chai	Cho	Chau	Chan	Chah

છ

(Chha)

છત્રી / Chhatree / Umbrella

છ્+અ	છ્+આ	છ્+ઇ	છ્+ઈ	છ્+ઉ	છ્+ઊ	છ્+ઋ	છ્+એ	છ્+ઐ	છ્+ઓ	છ્+ઔ	છ્+અં	છ્+અઃ
છ	છા	છિ	છી	છુ	છૂ	છૃ	છે	છૈ	છો	છૌ	છં	છઃ
Chha	Chhaa	Chhi	Chhee	Chhu	Chhoo	Chhri	Chhe	Chhai	Chho	Chhau	Chhan	Chhah

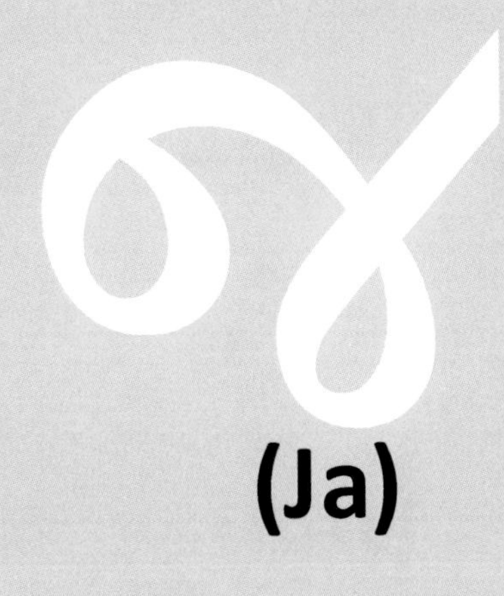

(Ja)

જાનવર / Jaanavara / Animal

જ્+અ	જ્+આ	જ્+ઇ	જ્+ઈ	જ્+ઉ	જ્+ઊ	જ્+ઋ	જ્+એ	જ્+ઐ	જ્+ઓ	જ્+ઔ	જ્+અં	જ્+અઃ
જ	જા	જિ	જી	જુ	જૂ	જૃ	જે	જૈ	જો	જૌ	જં	જઃ
Ja	Jaa	Ji	Jee	Ju	Joo	Jri	Je	Jai	Jo	Jau	Jan	Jah

ઝ્+અ	ઝ્+આ	ઝ્+ઇ	ઝ્+ઈ	ઝ્+ઉ	ઝ્+ઊ	ઝ્+ઋ	ઝ્+એ	ઝ્+ઐ	ઝ્+ઓ	ઝ્+ઔ	ઝ્+અં	ઝ્+અઃ
ઝ	ઝા	ઝિ	ઝી	ઝુ	ઝૂ	ઝૃ	ઝે	ઝૈ	ઝો	ઝૌ	ઝં	ઝઃ
Jha	Jhaa	Jhi	Jhee	Jhu	Jhoo	Jhri	Jhe	Jhai	Jho	Jhau	Jhan	Jhah

ઞ

(ña)

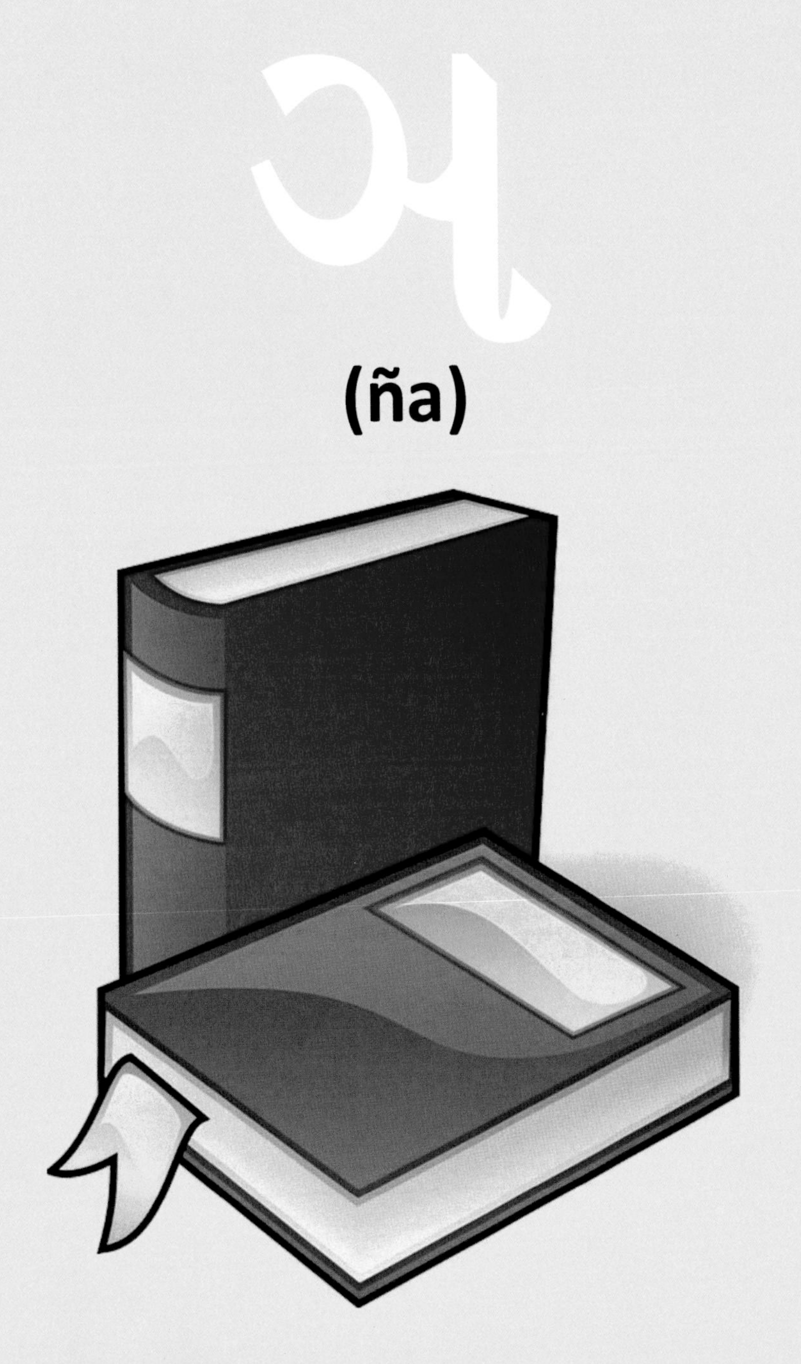

(જ+ઞ= જ્ઞ) જ્ઞાન / Gnyaana / Knowledge

ટ

(Ta)

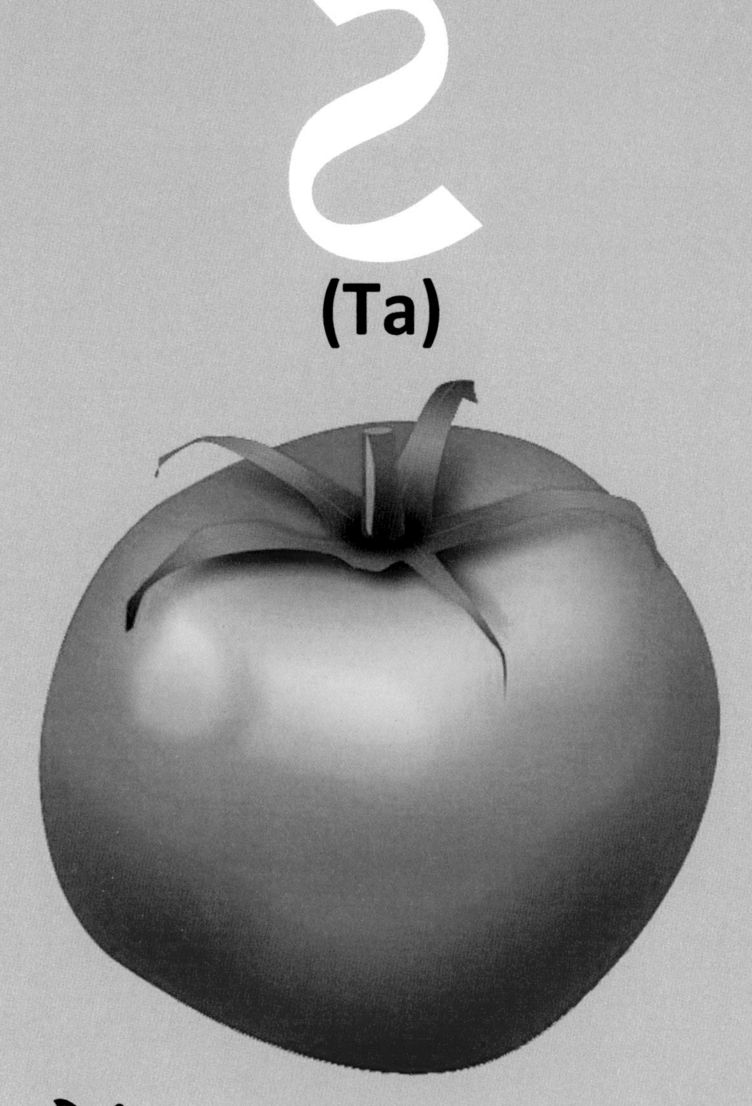

ટામેટું / Taametun / Tomato

ટ્+અ	ટ્+આ	ટ્+ઇ	ટ્+ઈ	ટ્+ઉ	ટ્+ઊ	ટ્+ઋ	ટ્+એ	ટ્+ઐ	ટ્+ઓ	ટ્+ઔ	ટ્+અં	ટ્+અઃ
ટ	ટા	ટિ	ટી	ટુ	ટૂ	ટૃ	ટે	ટૈ	ટો	ટૌ	ટં	ટઃ
Ta	Taa	Ti	Tee	Tu	Too	Tri	Te	Tai	To	Tau	Tan	Tah

ઠ

(Ṭha)

ઠળિયો / Thaliyo / Fruit Stone

ઠ્+અ	ઠ્+આ	ઠ્+ઇ	ઠ્+ઈ	ઠ્+ઉ	ઠ્+ઊ	ઠ્+ઋ	ઠ્+એ	ઠ્+ઐ	ઠ્+ઓ	ઠ્+ઔ	ઠ્+અં	ઠ્+અઃ
ઠ	ઠા	ઠિ	ઠી	ઠુ	ઠૂ	ઠૃ	ઠે	ઠૈ	ઠો	ઠૌ	ઠં	ઠઃ
Ṭha	Ṭhaa	Ṭhi	Ṭhee	Ṭhu	Ṭhoo	Ṭhri	Ṭhe	Ṭhai	Ṭho	Ṭhau	Ṭhan	Ṭhah

ડ

(Ḍa)

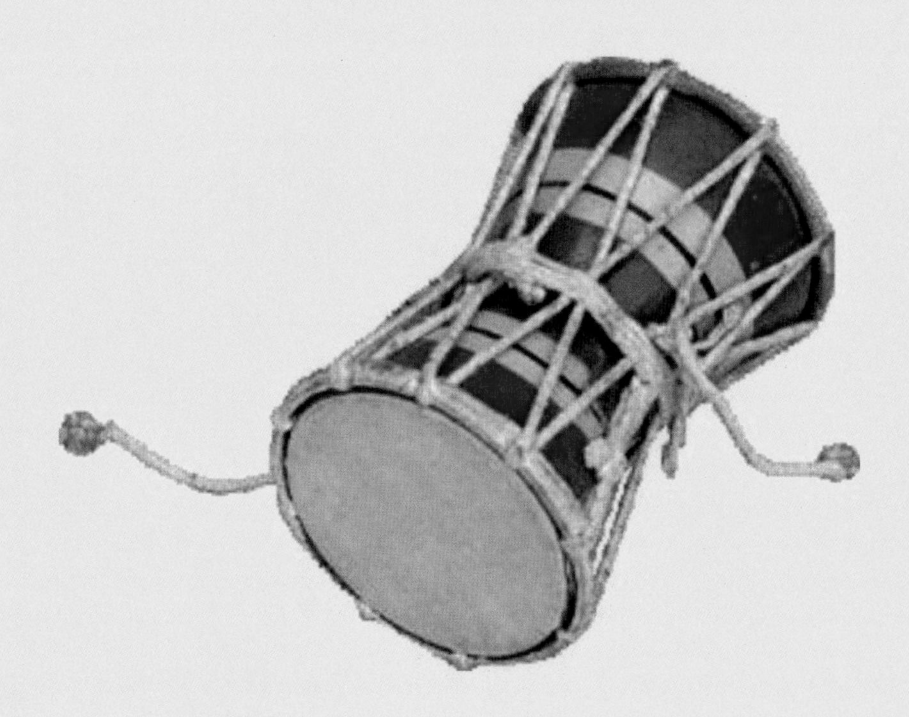

ડમરુ / Damaru / Handheld Drum

ડ્+અ	ડ્+આ	ડ્+ઇ	ડ્+ઈ	ડ્+ઉ	ડ્+ઊ	ડ્+ઋ	ડ્+એ	ડ્+ઐ	ડ્+ઓ	ડ્+ઔ	ડ્+અં	ડ્+અઃ
ડ	ડા	ડિ	ડી	ડુ	ડૂ	ડૃ	ડે	ડૈ	ડો	ડૌ	ડં	ડઃ
Ḍa	Ḍaa	Ḍi	Ḍee	Ḍu	Ḍoo	Ḍri	Ḍe	Ḍai	Ḍo	Ḍau	Ḍan	Ḍah

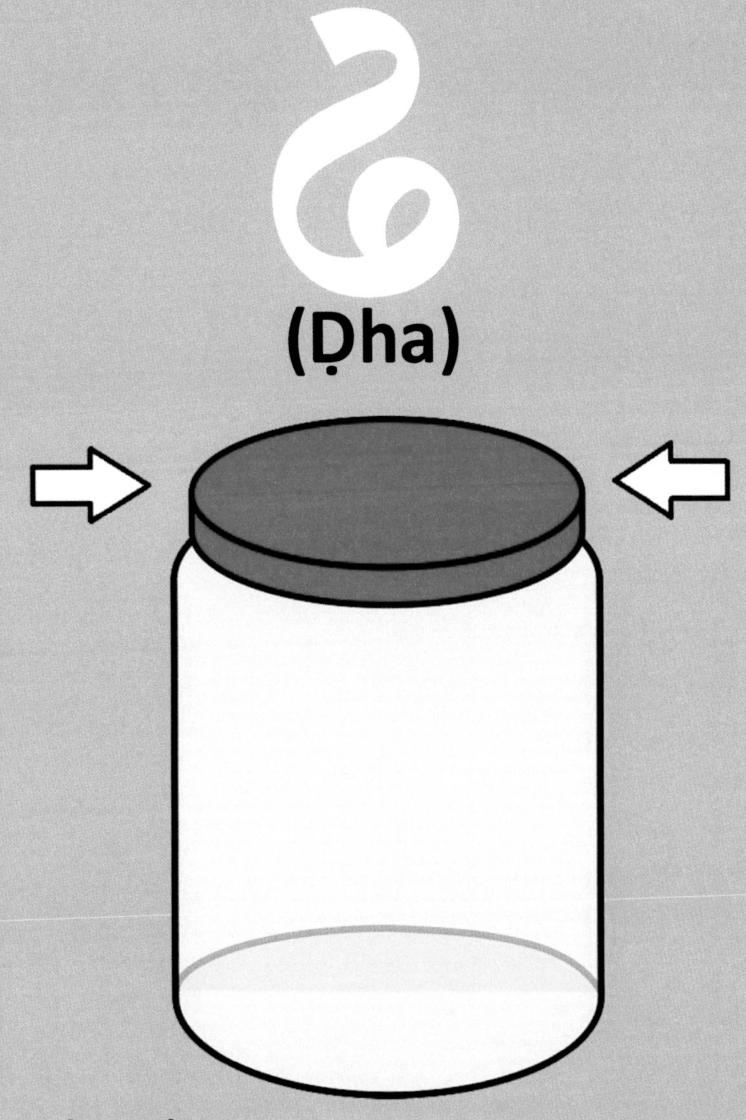

ઢાંકણું / Dhankanua / Lid

ઢ્+અ	ઢ્+આ	ઢ્+ઇ	ઢ્+ઈ	ઢ્+ઉ	ઢ્+ઊ	ઢ્+ઋ	ઢ્+એ	ઢ્+ઐ	ઢ્+ઓ	ઢ્+ઔ	ઢ્+અં	ઢ્+અઃ
ઢ	ઢા	ઢિ	ઢી	ઢુ	ઢૂ	ઢૃ	ઢે	ઢૈ	ઢો	ઢૌ	ઢં	ઢઃ
Ḍha	Ḍhaa	Ḍhi	Ḍhee	Ḍhu	Ḍhoo	Ḍhri	Ḍhe	Ḍhai	Ḍho	Ḍhau	Ḍhan	Ḍhah

હરણ / Harana / Deer

ણ્+અ	ણ્+આ	ણ્+ઇ	ણ્+ઈ	ણ્+ઉ	ણ્+ઊ	ણ્+ઋ	ણ્+એ	ણ્+ઐ	ણ્+ઓ	ણ્+ઔ	ણ્+અં	ણ્+અઃ
ણ	ણા	ણિ	ણી	ણુ	ણૂ	ણૃ	ણે	ણૈ	ણો	ણૌ	ણં	ણઃ
Ṇa	Ṇaa	Ṇi	Ṇee	Ṇu	Ṇoo	Ṇri	Ṇe	Ṇai	Ṇo	Ṇau	Ṇan	Ṇah

ત

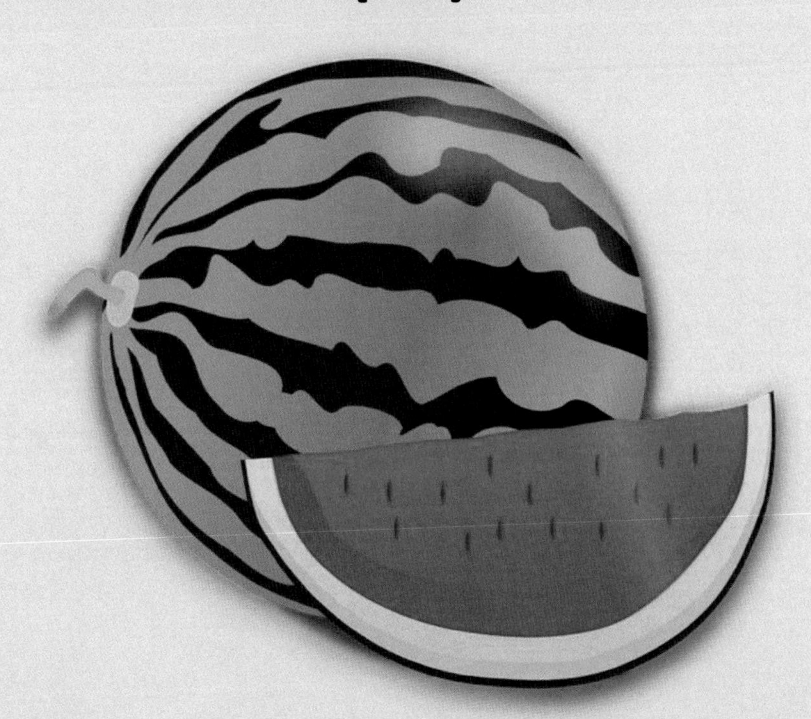

તરબૂચ / Tarabooca / Watermelon

ત્+અ	ત્+આ	ત્+ઇ	ત્+ઈ	ત્+ઉ	ત્+ઊ	ત્+ઋ	ત્+એ	ત્+ઐ	ત્+ઓ	ત્+ઔ	ત્+અં	ત્+અઃ
ત	તા	તિ	તી	તુ	તૂ	તૃ	તે	તૈ	તો	તૌ	તં	તઃ
Ta	Taa	Ti	Tee	Tu	Too	Tri	Te	Tai	To	Tau	Tan	Tah

થ

(Tha)

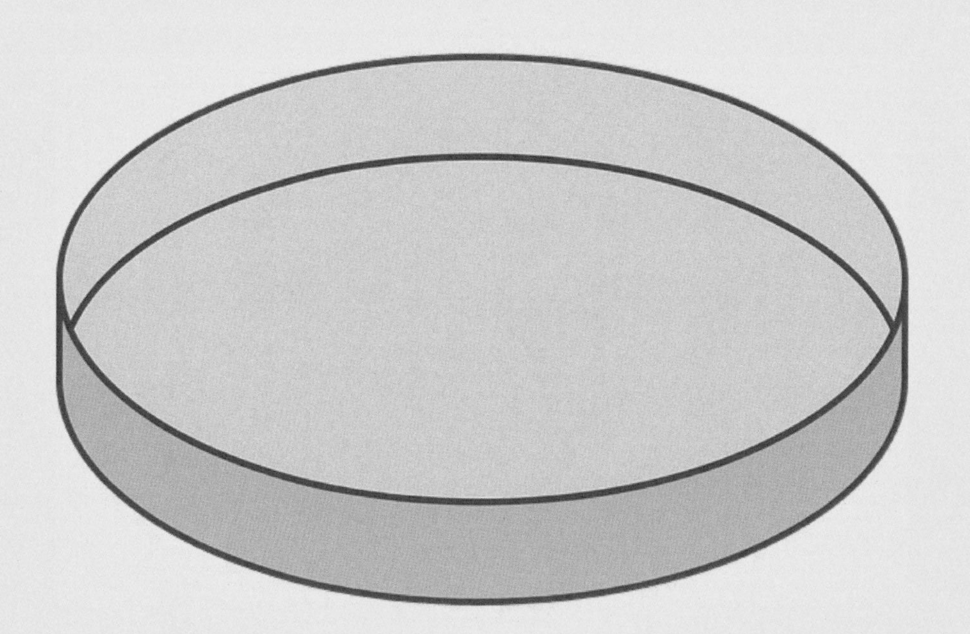

થાળી / Thaalee / Plate

થ્+અ	થ્+આ	થ્+ઇ	થ્+ઈ	થ્+ઉ	થ્+ઊ	થ્+ઋ	થ્+એ	થ્+ઐ	થ્+ઓ	થ્+ઔ	થ્+અં	થ્+અઃ
થ	થા	થિ	થી	થુ	થૂ	થૃ	થે	થૈ	થો	થૌ	થં	થઃ
Tha	Thaa	Thi	Thee	Thu	Thoo	Thri	The	Thai	Tho	Thau	Than	Thah

દ

(Da)

દરવાજો / Daravaajo / Door

દ્+અ	દ્+આ	દ્+ઇ	દ્+ઈ	દ્+ઉ	દ્+ઊ	દ્+ઋ	દ્+એ	દ્+ઐ	દ્+ઓ	દ્+ઔ	દ્+અં	દ્+અઃ
દ	દા	દિ	દી	દુ	દૂ	દૃ	દે	દૈ	દો	દૌ	દં	દઃ
Da	Daa	Di	Dee	Du	Doo	Dri	De	Dai	Do	Dau	Dan	Dah

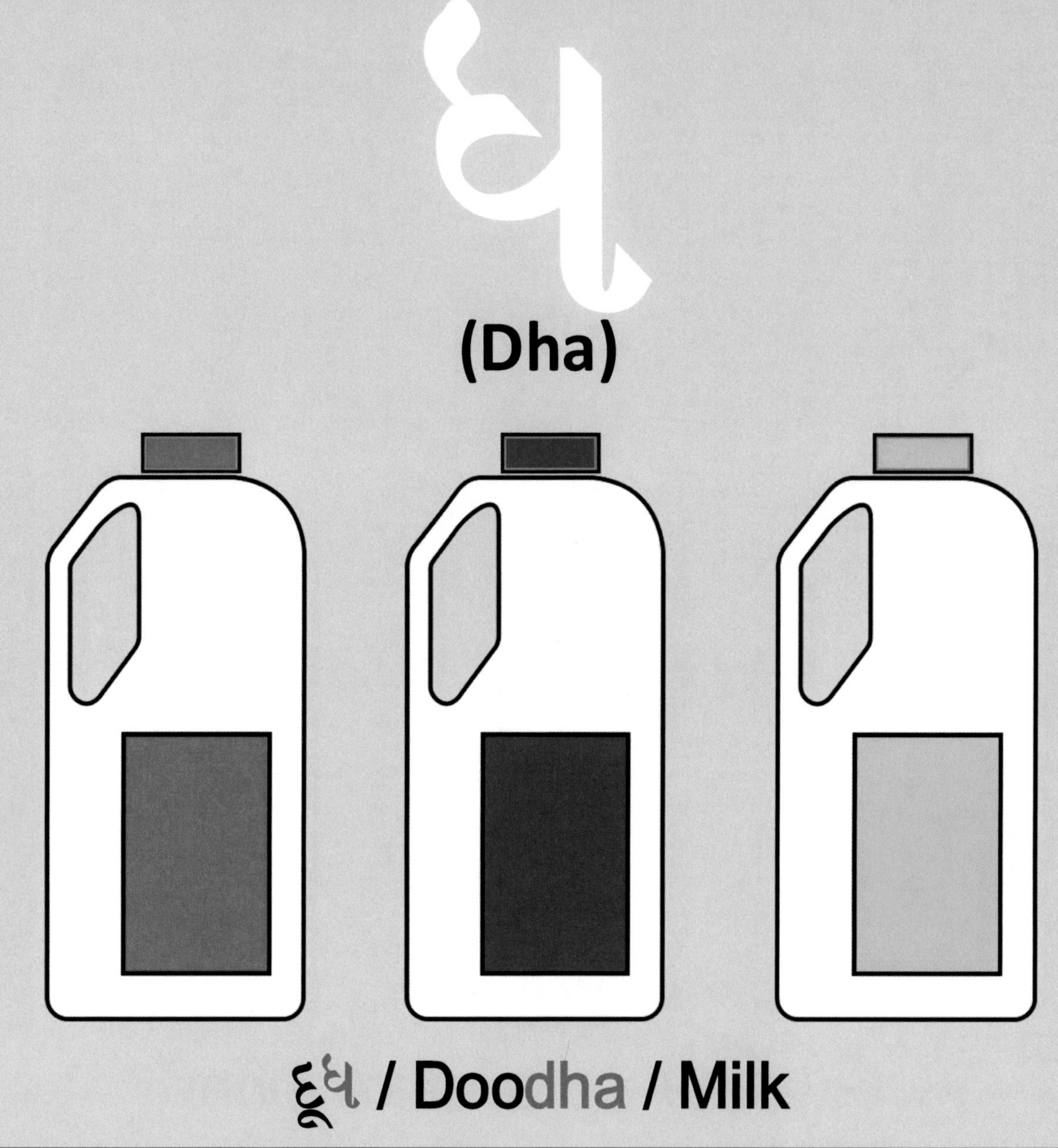

ધ્+અ	ધ્+આ	ધ્+ઇ	ધ્+ઈ	ધ્+ઉ	ધ્+ઊ	ધ્+ઋ	ધ્+એ	ધ્+ઐ	ધ્+ઓ	ધ્+ઔ	ધ્+અં	ધ્+અઃ
ધ	ધા	ધિ	ધી	ધુ	ધૂ	ધૃ	ધે	ધૈ	ધો	ધૌ	ધં	ધઃ
Dha	Dhaa	Dhi	Dhee	Dhu	Dhoo	Dhri	Dhe	Dhai	Dho	Dhau	Dhan	Dhah

ન

(Na)

નળ / Nala / Tap

ન્+અ	ન્+આ	ન્+ઇ	ન્+ઈ	ન્+ઉ	ન્+ઊ	ન્+ઋ	ન્+એ	ન્+ઐ	ન્+ઓ	ન્+ઔ	ન્+અં	ન્+અઃ
ન	ના	નિ	ની	નુ	નૂ	નૃ	ને	નૈ	નો	નૌ	નં	નઃ
Na	Naa	Ni	Nee	Nu	Noo	Nri	Ne	Nai	No	Nau	Nan	Nah

પ

(Pa)

પતંગિયું / Pataṅgiyuṅ/ Butterfly

પ્+અ	પ્+આ	પ્+ઇ	પ્+ઈ	પ્+ઉ	પ્+ઊ	પ્+ઋ	પ્+એ	પ્+ઐ	પ્+ઓ	પ્+ઔ	પ્+અં	પ્+અઃ
પ	પા	પિ	પી	પુ	પૂ	પૃ	પે	પૈ	પો	પૌ	પં	પઃ
Pa	Paa	Pi	Pee	Pu	Poo	Pri	Pe	Pai	Po	Pau	Pan	Pah

ફ

(Pha)

ફળ / Phala / Fruit

ફ્+અ	ફ્+આ	ફ્+ઇ	ફ્+ઈ	ફ્+ઉ	ફ્+ઊ	ફ્+ઋ	ફ્+એ	ફ્+ઐ	ફ્+ઓ	ફ્+ઔ	ફ્+અં	ફ્+અઃ
ફ	ફા	ફિ	ફી	ફુ	ફૂ	ફૃ	ફે	ફૈ	ફો	ફૌ	ફં	ફઃ
Pha	Phaa	Phi	Phee	Phu	Phoo	Phri	Phe	Phai	Pho	Phau	Phan	Phah

બતક / Bataka / Duck

બ્+અ	બ્+આ	બ્+ઇ	બ્+ઈ	બ્+ઉ	બ્+ઊ	બ્+ઋ	બ્+એ	બ્+ઐ	બ્+ઓ	બ્+ઔ	બ્+અં	બ્+અ:
બ	બા	બિ	બી	બુ	બૂ	બૃ	બે	બૈ	બો	બૌ	બં	બ:
Ba	Baa	Bi	Bee	Bu	Boo	Bri	Be	Bai	Bo	Bau	Ban	Bah

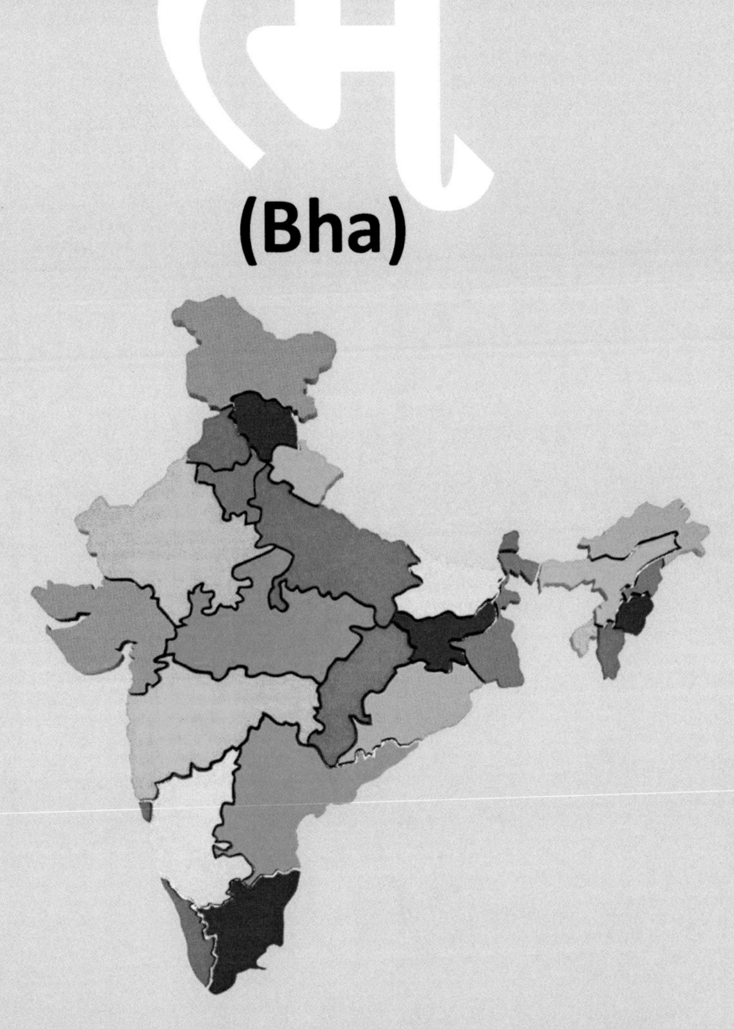

ભારત / Bhaarata / India

ભ્+અ	ભ્+આ	ભ્+ઇ	ભ્+ઈ	ભ્+ઉ	ભ્+ઊ	ભ્+ઋ	ભ્+એ	ભ્+ઐ	ભ્+ઓ	ભ્+ઔ	ભ્+અં	ભ્+અઃ
ભ	ભા	ભિ	ભી	ભુ	ભૂ	ભૃ	ભે	ભૈ	ભો	ભૌ	ભં	ભઃ
Bha	Bhaa	Bhi	Bhee	Bhu	Bhoo	Bhri	Bhe	Bhai	Bho	Bhau	Bhan	Bhah

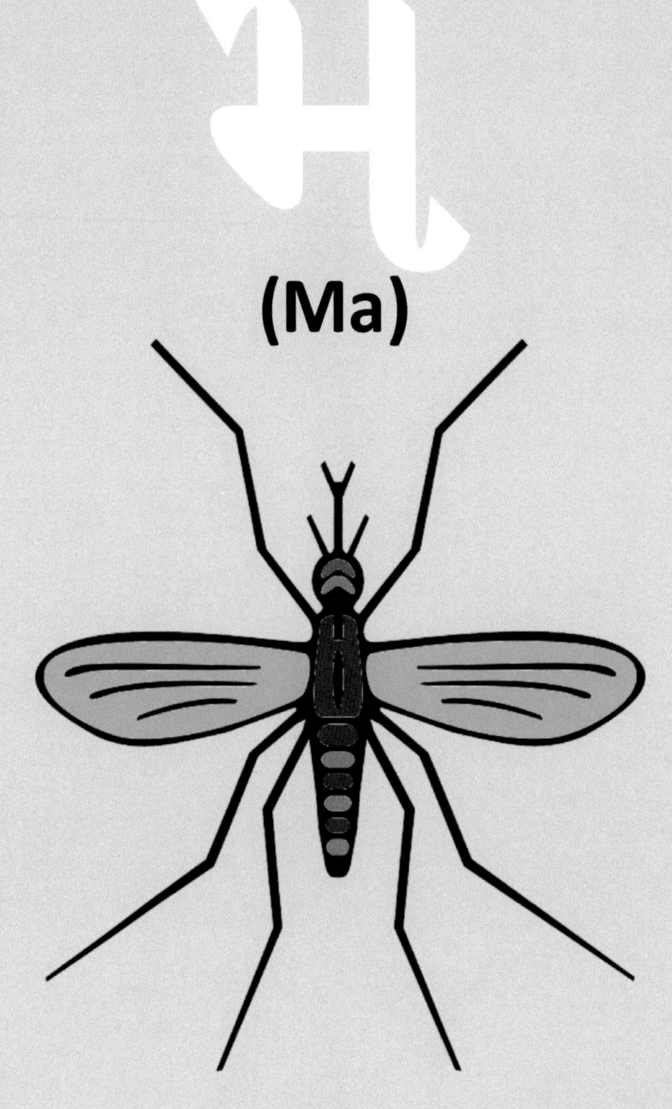

મચ્છર / Machchhara / Mosquito

મ્+અ	મ્+આ	મ્+ઇ	મ્+ઈ	મ્+ઉ	મ્+ઊ	મ્+ઋ	મ્+એ	મ્+ઐ	મ્+ઓ	મ્+ઔ	મ્+અં	મ્+અઃ
મ	મા	મિ	મી	મુ	મૂ	મૃ	મે	મૈ	મો	મૌ	મં	મઃ
Ma	Maa	Mi	Mee	Mu	Moo	Mri	Me	Mai	Mo	Mau	Man	Mah

ય

(Ya)

નાળિયેર / Naaliyera / Coconut

ય્+અ	ય્+આ	ય્+ઇ	ય્+ઈ	ય્+ઉ	ય્+ઊ	ય્+ઋ	ય્+એ	ય્+ઐ	ય્+ઓ	ય્+ઔ	ય્+અં	ય્+અઃ
ય	યા	યિ	યી	યુ	યૂ	યૃ	યે	યૈ	યો	યૌ	યં	યઃ
Ya	Yaa	Yi	Yee	Yu	Yoo	Yri	Ye	Yai	Yo	Yau	Yan	Yah

ર

(Ra)

રમકડાં / Ramakaḍan / Toys

ર્+અ	ર્+આ	ર્+ઇ	ર્+ઈ	ર્+ઉ	ર્+ઊ	ર્+ઋ	ર્+એ	ર્+ઐ	ર્+ઓ	ર્+ઔ	ર્+અં	ર્+અઃ
ર	રા	રિ	રી	રુ	રૂ	રૃ	રે	રૈ	રો	રૌ	રં	રઃ
Ra	Raa	Ri	Ree	Ru	Roo	Rri	Re	Rai	Ro	Rau	Ran	Rah

(La)

લાકડું / Lakadu / Wood

લ્+અ	લ્+આ	લ્+ઇ	લ્+ઈ	લ્+ઉ	લ્+ઊ	લ્+ઋ	લ્+એ	લ્+ઐ	લ્+ઓ	લ્+ઔ	લ્+અં	લ્+અઃ
લ	લા	લિ	લી	લુ	લૂ	લૃ	લે	લૈ	લો	લૌ	લં	લઃ
La	Laa	Li	Lee	Lu	Loo	Lri	Le	Lai	Lo	Lau	Lan	Lah

વ

(Va)

વન / Vana / Jungle

વ્+અ	વ્+આ	વ્+ઇ	વ્+ઈ	વ્+ઉ	વ્+ઊ	વ્+ઋ	વ્+એ	વ્+ઐ	વ્+ઓ	વ્+ઔ	વ્+અં	વ્+અ:
વ	વા	વિ	વી	વુ	વૂ	વૃ	વે	વૈ	વો	વૌ	વં	વઃ
Va	Vaa	Vi	Vee	Vu	Voo	Vri	Ve	Vai	Vo	Vau	Van	Vah

શ

(Śha)

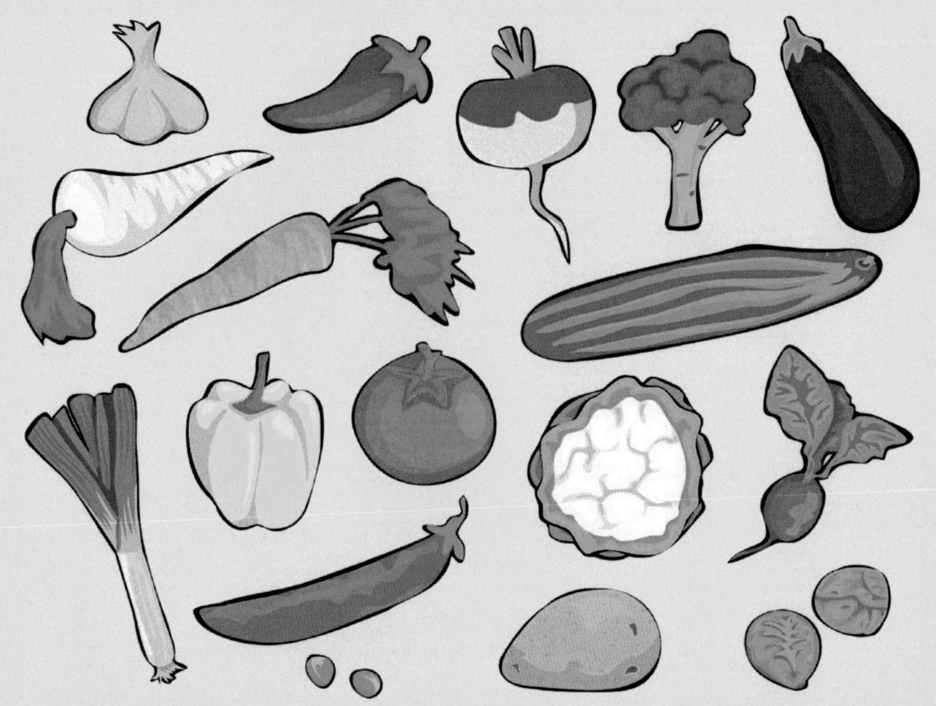

શાક / Shaaka / Vegetable

શ્+અ	શ્+આ	શ્+ઇ	શ્+ઈ	શ્+ઉ	શ્+ઊ	શ્+ઋ	શ્+એ	શ્+ઐ	શ્+ઓ	શ્+ઔ	શ્+અં	શ્+અઃ
શ	શા	શિ	શી	શુ	શૂ	શૃ	શે	શૈ	શો	શૌ	શં	શઃ
Śha	Śhaa	Śhi	Śhee	Śhu	Śhoo	Śhri	Śhe	Śhai	Śho	Śhau	Śhan	Śhah

ષ

ષટ્કોણ / Shatkona / Hexagon

ષ્+અ	ષ્+આ	ષ્+ઇ	ષ્+ઈ	ષ્+ઉ	ષ્+ઊ	ષ્+ઋ	ષ્+એ	ષ્+ઐ	ષ્+ઓ	ષ્+ઔ	ષ્+અં	ષ્+અઃ
ષ	ષા	ષિ	ષી	ષુ	ષૂ	ષૃ	ષે	ષૈ	ષો	ષૌ	ષં	ષઃ
Ṣha	Ṣhaa	Ṣhi	Ṣhee	Ṣhu	Ṣhoo	Ṣhri	Ṣhe	Ṣhai	Ṣho	Ṣhau	Ṣhan	Ṣhah

સ

(Sa)

સફરજન / Sapharajana / Apple

સ્+અ	સ્+આ	સ્+ઇ	સ્+ઈ	સ્+ઉ	સ્+ઊ	સ્+ઋ	સ્+એ	સ્+ઐ	સ્+ઓ	સ્+ઔ	સ્+અં	સ્+અઃ
સ	**સા**	**સિ**	**સી**	**સુ**	**સૂ**	**સૃ**	**સે**	**સૈ**	**સો**	**સૌ**	**સં**	**સઃ**
Sa	Saa	Si	See	Su	Soo	Sri	Se	Sai	So	Sau	San	Sah

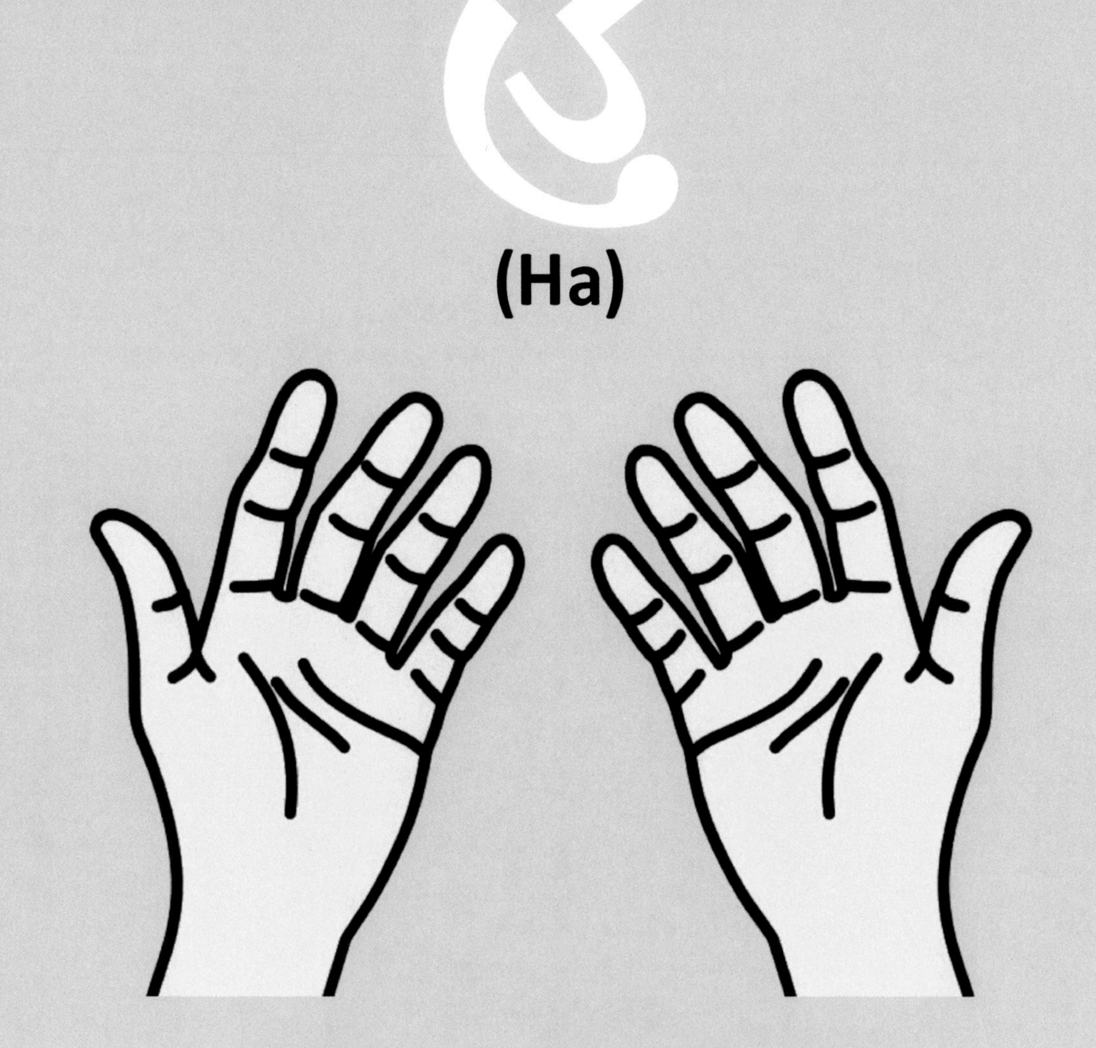

હાથ / Haatha / Hands

હ્+અ	હ્+આ	હ્+ઇ	હ્+ઈ	હ્+ઉ	હ્+ઊ	હ્+ઋ	હ્+એ	હ્+ઐ	હ્+ઓ	હ્+ઔ	હ્+અં	હ્+અઃ
હ	હા	હિ	હી	હુ	હૂ	હૃ	હે	હૈ	હો	હૌ	હં	હઃ
Ha	Haa	Hi	Hee	Hu	Hoo	Hri	He	Hai	Ho	Hau	Han	Hah

ળ

(Ḷa)

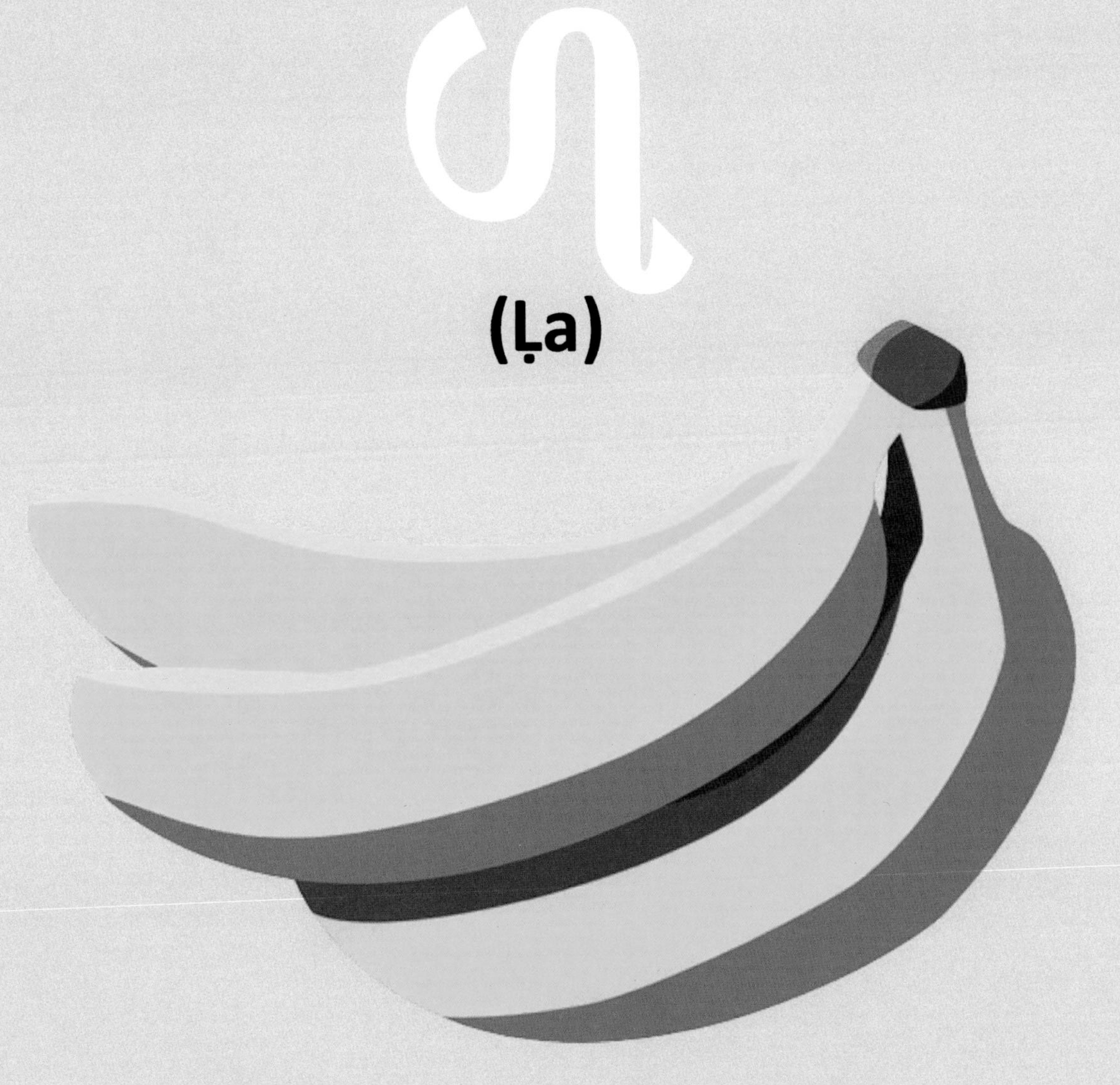

કેળું / Kelun / Banana

ળ્+અ	ળ્+આ	ળ્+ઇ	ળ્+ઈ	ળ્+ઉ	ળ્+ઊ	ળ્+ઋ	ળ્+એ	ળ્+ઐ	ળ્+ઓ	ળ્+ઔ	ળ્+અં	ળ્+અઃ
ળ	ળા	ળિ	ળી	ળુ	ળૂ	ળૃ	ળે	ળૈ	ળો	ળૌ	ળં	ળઃ
Ḷa	Ḷa	Ḷi	Ḷee	Ḷu	Ḷoo	Ḷri	Ḷe	Ḷai	Ḷo	Ḷau	Ḷan	Ḷah

(Ksha)

ક્ષત્રિય / Kshatriya / Warrior

ક્ષ્+અ	ક્ષ્+આ	ક્ષ્+ઇ	ક્ષ્+ઈ	ક્ષ્+ઉ	ક્ષ્+ઊ	ક્ષ્+ઋ	ક્ષ્+એ	ક્ષ્+ઐ	ક્ષ્+ઓ	ક્ષ્+ઔ	ક્ષ્+અં	ક્ષ્+અઃ
ક્ષ	**ક્ષા**	**ક્ષિ**	**ક્ષી**	**ક્ષુ**	**ક્ષૂ**	**ક્ષૃ**	**ક્ષે**	**ક્ષૈ**	**ક્ષો**	**ક્ષૌ**	**ક્ષં**	**ક્ષઃ**
Ksha	Kshaa	Kshi	Kshee	Kshu	Kshoo	Kshri	Kshe	Kshai	Ksho	Kshau	Kshan	Kshah

જ્ઞ

(Gnya)

યજ્ઞ / Yagnya / Holy Fire

જ્+અ	જ્+આ	જ્+ઇ	જ્+ઈ	જ્+ઉ	જ્+ઊ	જ્+ઋ	જ્+એ	જ્+ઐ	જ્+ઓ	જ્+ઔ	જ્+અં	જ્+અઃ
જ્ઞ	જ્ઞા	જ્ઞિ	જ્ઞી	જ્ઞુ	જ્ઞૂ	જ્ઞૃ	જ્ઞે	જ્ઞૈ	જ્ઞો	જ્ઞૌ	જ્ઞં	જ્ઞઃ
Gnya	Gnyaa	Gnyi	Gnyee	Gnyu	Gnyoo	Gnyri	Gnye	Gnyai	Gnyo	Gnyau	Gnyan	Gnyah